國立臺灣師範大學 「品德教育繪本結合鍵接圖識字教學」計畫之實驗性教材

郭恩慈 張瓅勻 陳學志 著｜張育菁 郭順霖 繪

愛上學習 從閱讀開始

萬卷樓

編寫理念

這是本可以讓國小低中年級學生輕鬆學習《弟子規》的書，透過親子共讀的設計，使小朋友養成良好的品德。

每一篇故事都對應《弟子規》的內容，能從有趣的故事知道《弟子規》的道理，還能學會重要又簡單的字。

在書的最後有主角小饅頭貼紙，當小朋友完成任務後，請大人幫忙貼上作為鼓勵！

目錄

我是松松，
我最愛吃松果。

我是果果，
我最喜歡的人
是松松哥哥。

人物介紹

我是喵喵，
我喜歡看書。

我是咪咪，
我喜歡照相。

我是菲菲，
我熱愛飛翔。

我是莉莉，
我喜歡穿美麗
的裙子。

人物介紹

我是鼓鼓，
我每天
準時起床。

我是點點，
我最喜歡
我的點點眉毛。

說話要算話

我的目標

★ 能了解責任的重要。

★ 能盡力完成答應別人的事情。

★ 能常說好話，讚美別人。

說話要算話

菲菲：　媽媽，我來幫您洗碗。

莉莉：　我看你一定又在打什麼歪主意了！

媽媽：　說到要做到喔。

一個禮拜之後。

菲菲：媽媽，您看這個玩具車好酷喔！

菲菲：班上幾乎每個同學都有小汽車，真讓人羨慕，每次我都沒有辦法跟他們一起聊車子，我也好想要一個！

媽媽：看在你最近很乖，
都會主動幫忙做
家事的份上，
媽媽買給你。

100

隔天吃完晚餐後，桌上都是還沒洗的碗盤。

媽媽：菲菲，快來洗碗！

菲菲：我在玩車子，請等一下。

等不到菲菲，媽媽只好
自己洗碗。媽媽洗完碗後，
到房間找菲菲。

....

媽媽：你不是說以後每天都要幫忙洗碗嗎？該不會有了玩具車，就忘記答應媽媽的事情了？

菲菲：　我上禮拜那麼乖，
　　　　您就當作是給我的
　　　　獎勵嘛！　不要打擾
　　　　我玩車子。

媽媽：你可以用這種態度對媽媽嗎？下次不管你再幫忙做什麼，我都不會買玩具給你。分擔家事是每個家人的責任！

菲菲：　其他同學連家事都沒有做，就有玩具車，這不公平。

媽媽：　我昨天遇到咪咪的媽媽，她跟我說她們家沒有玩具車。

菲菲：可是咪咪親口跟我說，她媽媽也買給她了！

媽媽：說話要講求證據，你看見咪咪玩車子了嗎？沒有親眼看到的事，千萬不要到處亂說，受傷害的會是自己。

媽媽：　你既然答應媽媽
要每天幫忙洗碗，
就應該說話算話，
不能說了又不做！

菲菲：我知道了，我以後說話會算話。

我會《弟子規》

凡出言，信為先；
詐與妄，奚可焉。
話說多，不如少；
惟其是，勿佞巧。

什麼意思？

自己說過的話或答應過的事情一定要放在心上，並且認真的去完成，遵守信用是最重要的事。

當遇到無法完成的事情，不可以隨便說：「好」，如果以欺騙或是說謊來隱藏自己沒有完成的事，是非常不好的行為。

我會《弟子規》

見未真，勿輕言；
知未的，勿輕傳。
事非宜，勿輕諾；
苟輕諾，進退錯。

什麼意思？

當我們和別人說話時，說太多話容易說出不該說的事；雖然話要講得少，但是要講得剛剛好，多說好話。

常常注意自己說的話和行為，欺騙、討好、賴皮、不好聽的話不可以說。

猜猜看這是什麼字？

請從下方選出最像的字卡，擺入第31頁和第35頁的空格中。

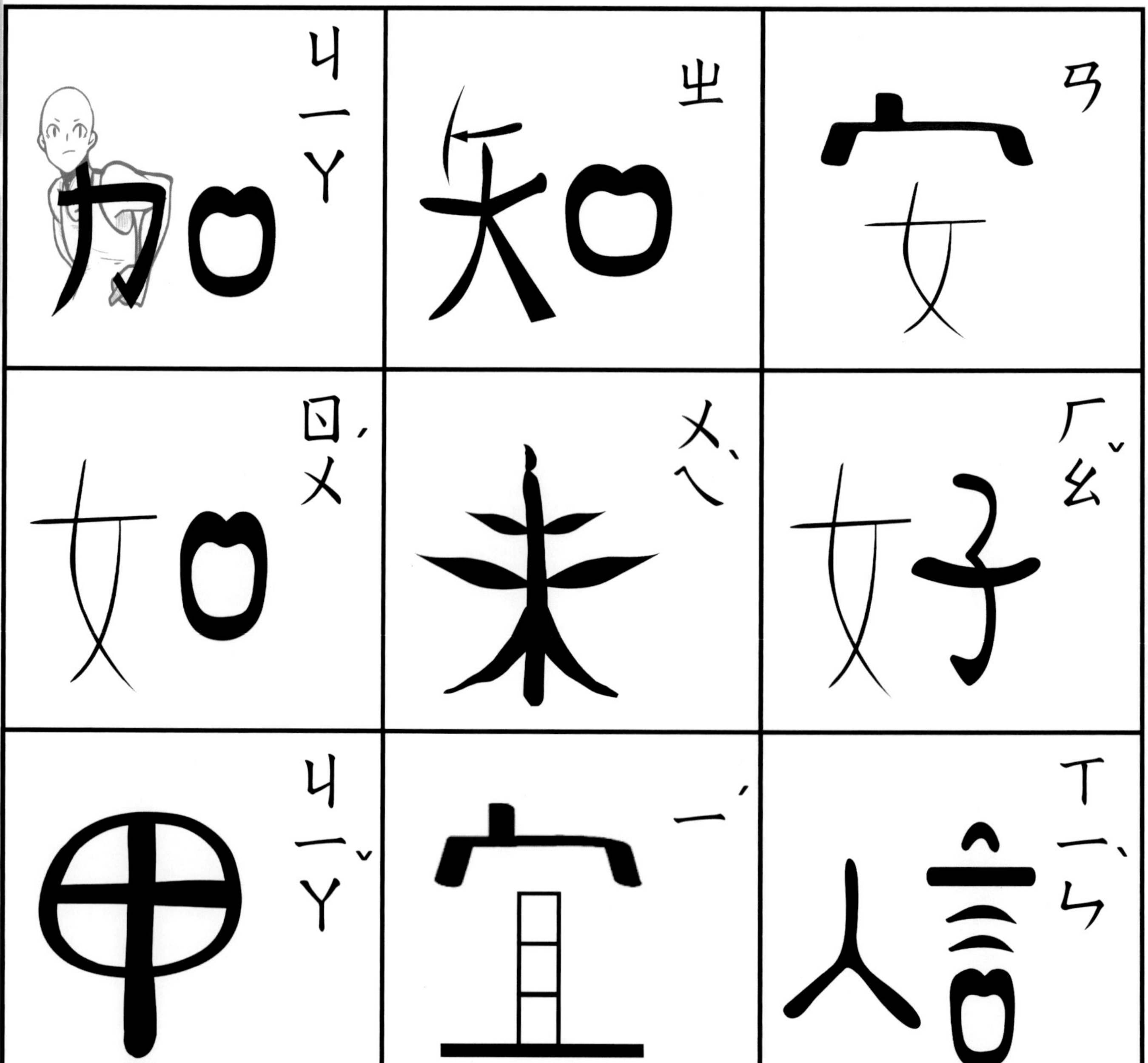

ㄐㄧㄚ	ㄓ	ㄢ
ㄖㄨˊ	ㄨㄟˋ	ㄏㄠˇ
ㄐㄧㄚˇ	ㄧˊ	ㄒㄧㄣˋ

字卡在第115頁，剪下來使用。

我是大偵探

請剪下第115頁的字，看看哪個字最像下面的圖，擺到格子裡。

我ㄨㄛˇ會ㄏㄨㄟˋ寫ㄒㄧㄝˇ國ㄍㄨㄛˊ字ㄗˋ

先ㄒㄧㄢ描ㄇㄧㄠˊ三ㄙㄢ次ㄘˋ，再ㄗㄞˋ寫ㄒㄧㄝˇ三ㄙㄢ次ㄘˋ。

信ㄒㄧㄣˋ	信ㄒㄧㄣˋ	信ㄒㄧㄣˋ
如ㄖㄨˊ	如ㄖㄨˊ	如ㄖㄨˊ
知ㄓ	知ㄓ	知ㄓ

我認識國字

解釋：「信」的功能就是要像其他人傳達自己想說的文字。

詞語：信封、信用

解釋：那個女孩嘴巴的顏色如蘋果一樣紅。

詞語：如果、例如

解釋：當知道自己要說什麼，就會開口告訴別人，就像射箭（矢）一樣對準目標。

詞語：知道、知識

我是大偵探

請剪下第115頁的字，看看哪個字最像下面的圖，擺到格子裡。

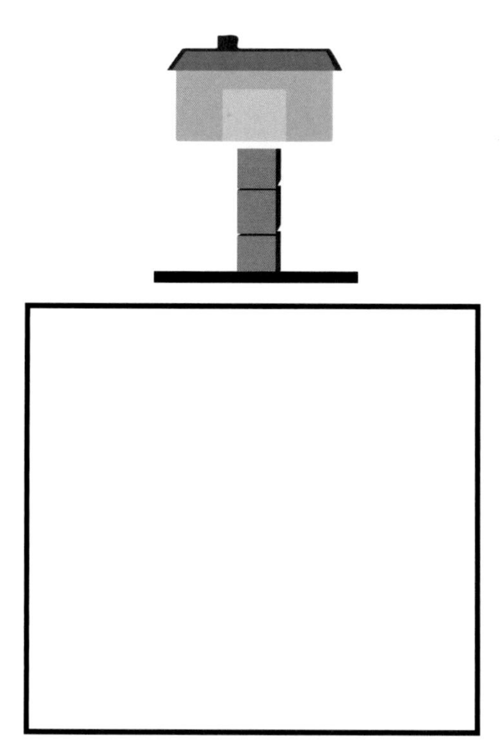

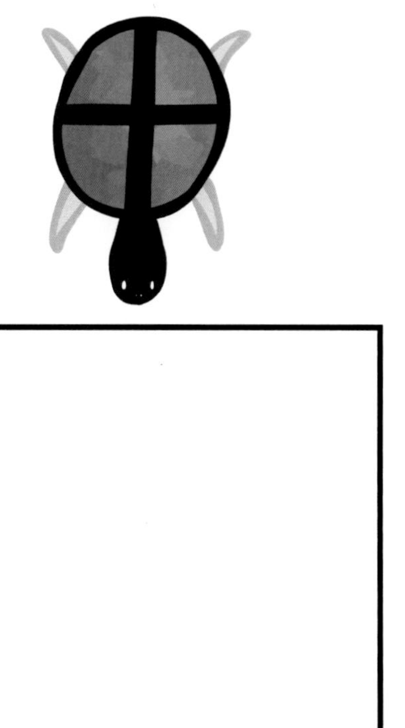

我ㄨㄛˇ會ㄏㄨㄟˋ寫ㄒㄧㄝˇ國ㄍㄨㄛˊ字ㄗˋ

先ㄒㄧㄢ描ㄇㄧㄠˊ三ㄙㄢ次ㄘˋ，再ㄗㄞˋ寫ㄒㄧㄝˇ三ㄙㄢ次ㄘˋ。

末ㄇㄛˋ	末ㄇㄛˋ	末ㄇㄛˋ
宜ㄧˊ	宜ㄧˊ	宜ㄧˊ
甲ㄐㄧㄚˇ	甲ㄐㄧㄚˇ	甲ㄐㄧㄚˇ

我認識國字

解釋：像一棵剛發芽，長出嫩葉的樹，代表樹木還沒長大，有「尚未」的意思。

詞語：尚未、未來

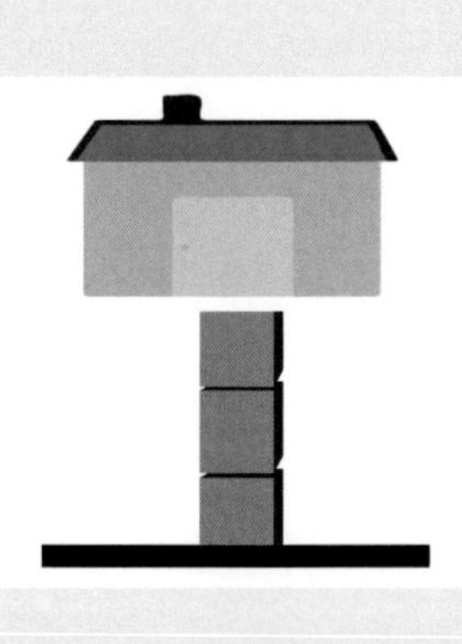

解釋：用磚塊一塊塊蓋成的房子非常堅固，適合居住。

詞語：適宜、便宜

解釋：像烏龜殼上的紋路，再加上烏龜的頭，聯想到龜甲。

詞語：甲等、指甲

國ㄍㄨㄛˊ字ㄗˋ演ㄧㄢˇ變ㄅㄧㄢˋ圖ㄊㄨˊ

→ 人言 → 信

→ 女口 → 如

→ 矢口 → 知

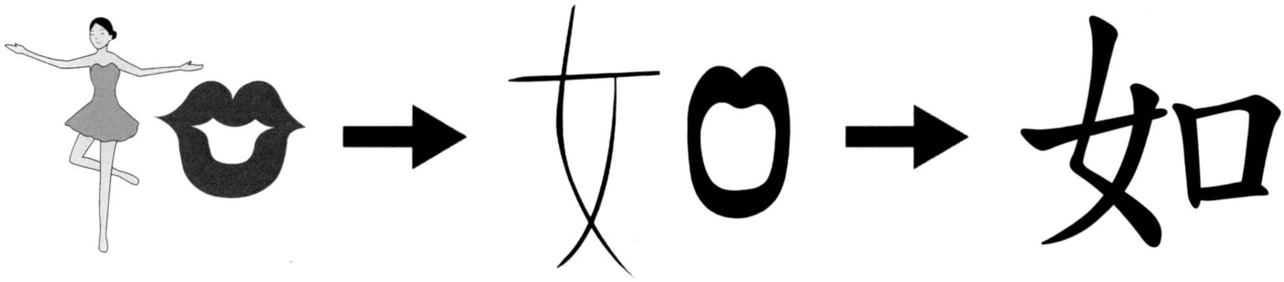

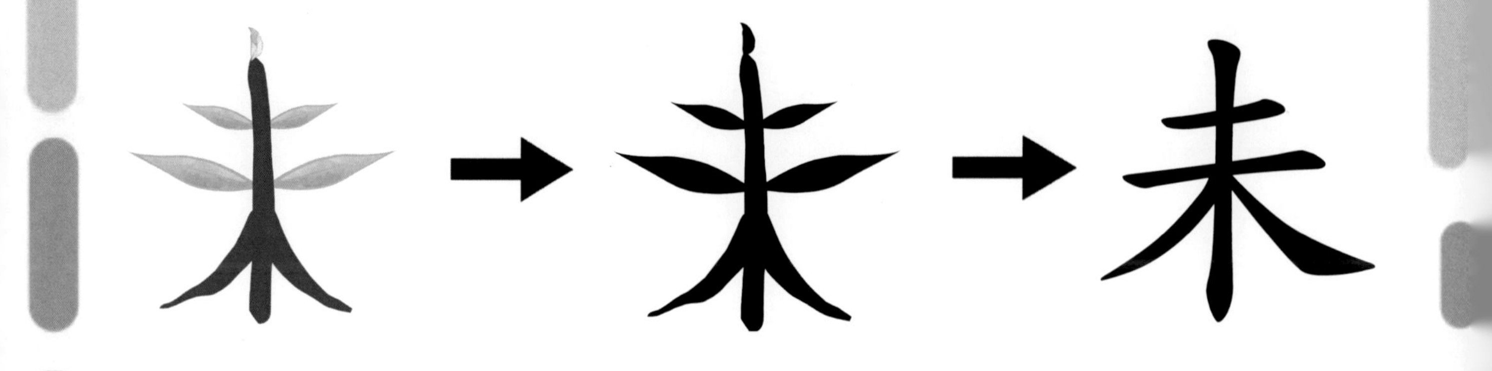
未

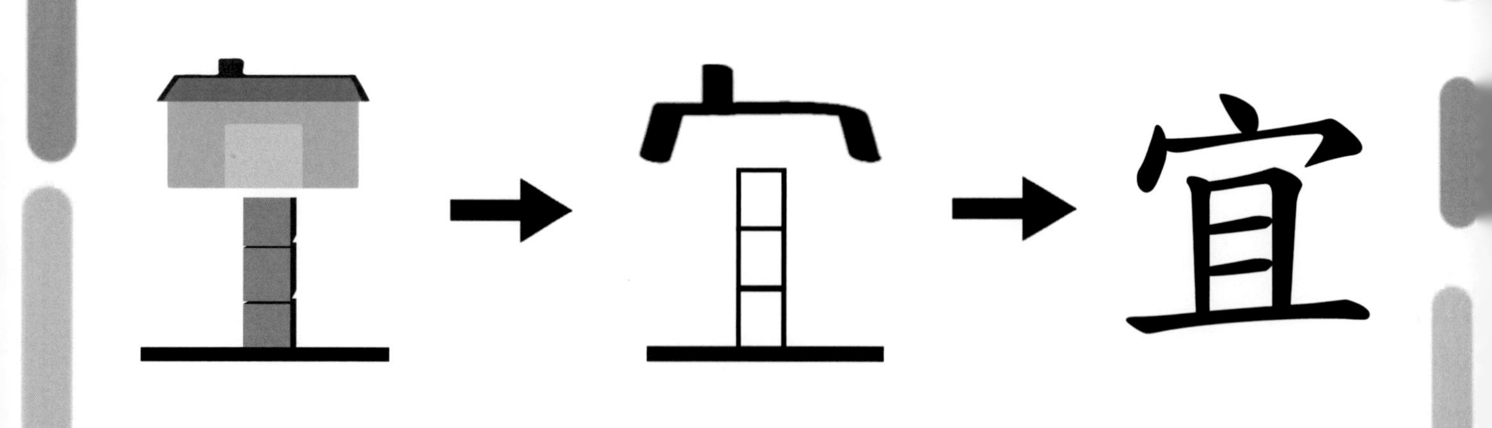
宜

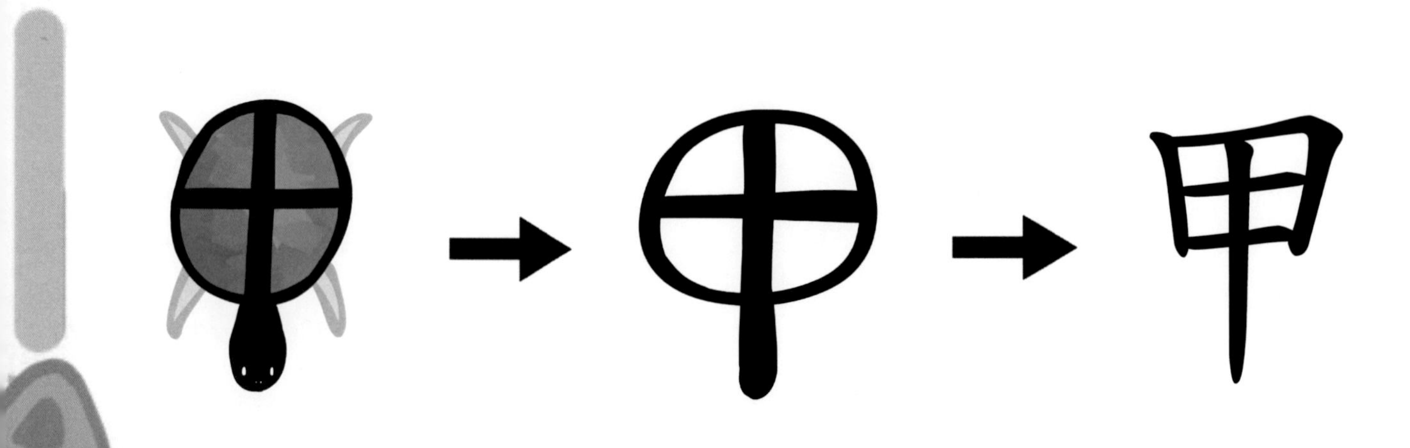
甲

我可以做到！

完成任務可以請爸爸媽媽在空格處貼上小饅頭貼紙。

記得自己說過的話或答應過的事情。	
答應別人的事情都做到了。	
認真完成答應別人的事情。	
沒有說不好聽的話。	
沒有欺騙別人。	
注意自己說的話、做的事。	
多說好話，讚美別人。	

貼紙在第118頁。

我的目標

★ 能養成尊重動物生命、保護動物的態度。

★ 能做到答應別人的事。

★ 能欣賞和學習他人的優點。

Mail

鎮上最近開了一家新的寵物店，鼓鼓家也收到了開幕活動的廣告。

鼓鼓看到廣告上，有可愛的小金魚，問媽媽可不可以養小金魚。

媽媽：菲菲養了小金魚後，每天都很認真餵牠吃飯、幫牠清理魚缸，你能做到嗎？養寵物就要對牠負責。

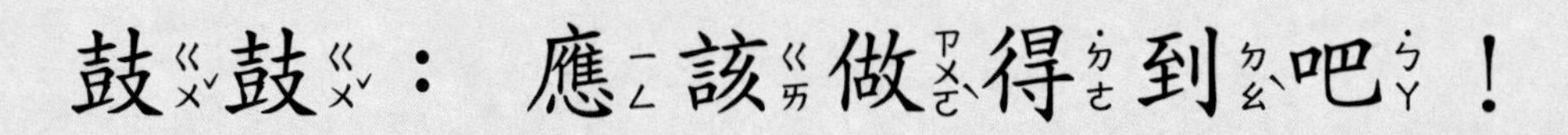

鼓鼓：　應該做得到吧！

媽媽：　我們說話要算話，
你做得到的話，
媽媽才讓你養
小金魚。

鼓鼓堅定且大聲的說：
好！我做得到！

媽媽帶鼓鼓到寵物店買小金魚，讓鼓鼓自己向老闆說要買的東西。

鼓鼓害羞的說：
我要買小金魚。

媽媽： 鼓鼓你太害羞了，這麼小聲的話， 老闆聽不見， 我們講話要讓對方聽得清楚。

旁邊來了一對母女，她們想把上禮拜買的小金魚還給老闆。因為妹妹沒有每天按時餵魚，她媽媽要把小金魚還給老闆。

老闆對鼓鼓說：
你能負起責任，好好照顧小金魚嗎？不可以像這個妹妹一樣；萬一小金魚餓死了怎麼辦？

鼓鼓：　我會認真照顧小金魚，
絕對不會讓牠死掉！
妹妹，你也求媽媽再
給你一次機會照顧
小金魚吧！

妹妹照著鼓鼓的話做了。
她媽媽只好答應，再給她
一次機會。

媽媽：　我們不能隨便插手管別人的事情，這樣會給別人造成麻煩。

鼓鼓：　我知道了，下次不會隨便出主意了！

我會《弟子規》

凡道字，　重且舒；

勿急疾，　勿模糊。

彼說長，　此說短；

不關己，　莫閒管。

什麼意思？

跟別人說話時，每個字都要說清楚，慢慢的講，不要說太快，也不要講得不清不楚。

當遇到人們在批評他人、說別人壞話的時候，不要受到影響。與自己不相關的事就不要管，免得讓自己遇到不好的事。

我會《弟子規》

見人善，即思齊；
縱去遠，以漸躋。
見人惡，即內省；
有則改，無加警。

什麼意思？

看到別人做出好的行為時，要想著跟他學習，讓自己進步；就算發現自己的能力與他人相差很遠，也不要放棄，可以一步步的慢慢跟上。

看到別人做壞事時，要好好的反省自己有沒有做過一樣的事。如果做過就要改進，沒做過的話，也要更加小心，繼續保持好的行為。

猜猜看這是什麼字？

請從下方選出最像的字卡，擺入第65頁和第69頁的空格中。

ㄧˇ	ㄙ	ㄑㄧㄝˇ
ㄏㄜˊ	ㄐㄧˇ	ㄇㄨˋ
ㄕㄥ	ㄗˋ	ㄐㄧㄚ

字卡在第116頁，剪下來使用。

我是大偵探

請剪下第116頁的字，看看哪個字最像下面的圖，擺到格子裡。

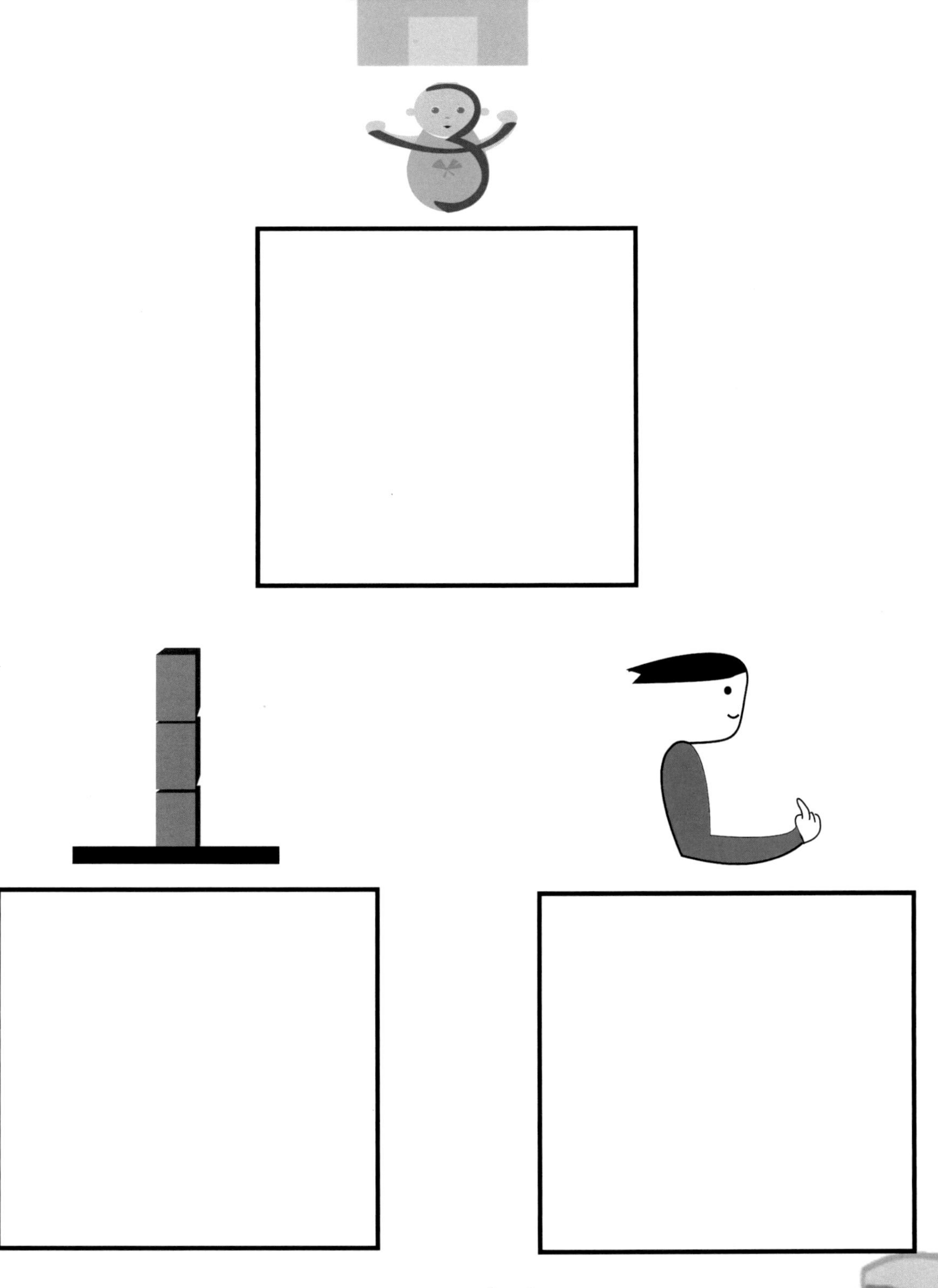

我ㄨㄛˇ會ㄏㄨㄟˋ寫ㄒㄧㄝˇ國ㄍㄨㄛˊ字ㄗˋ

先ㄒㄧㄢ描ㄇㄧㄠˊ三ㄙㄢ次ㄘˋ，再ㄗㄞˋ寫ㄒㄧㄝˇ三ㄙㄢ次ㄘˋ。

字 ㄗˋ	字 ㄗˋ	字 ㄗˋ
且 ㄑㄧㄝˇ	且 ㄑㄧㄝˇ	且 ㄑㄧㄝˇ
己 ㄐㄧˇ	己 ㄐㄧˇ	己 ㄐㄧˇ

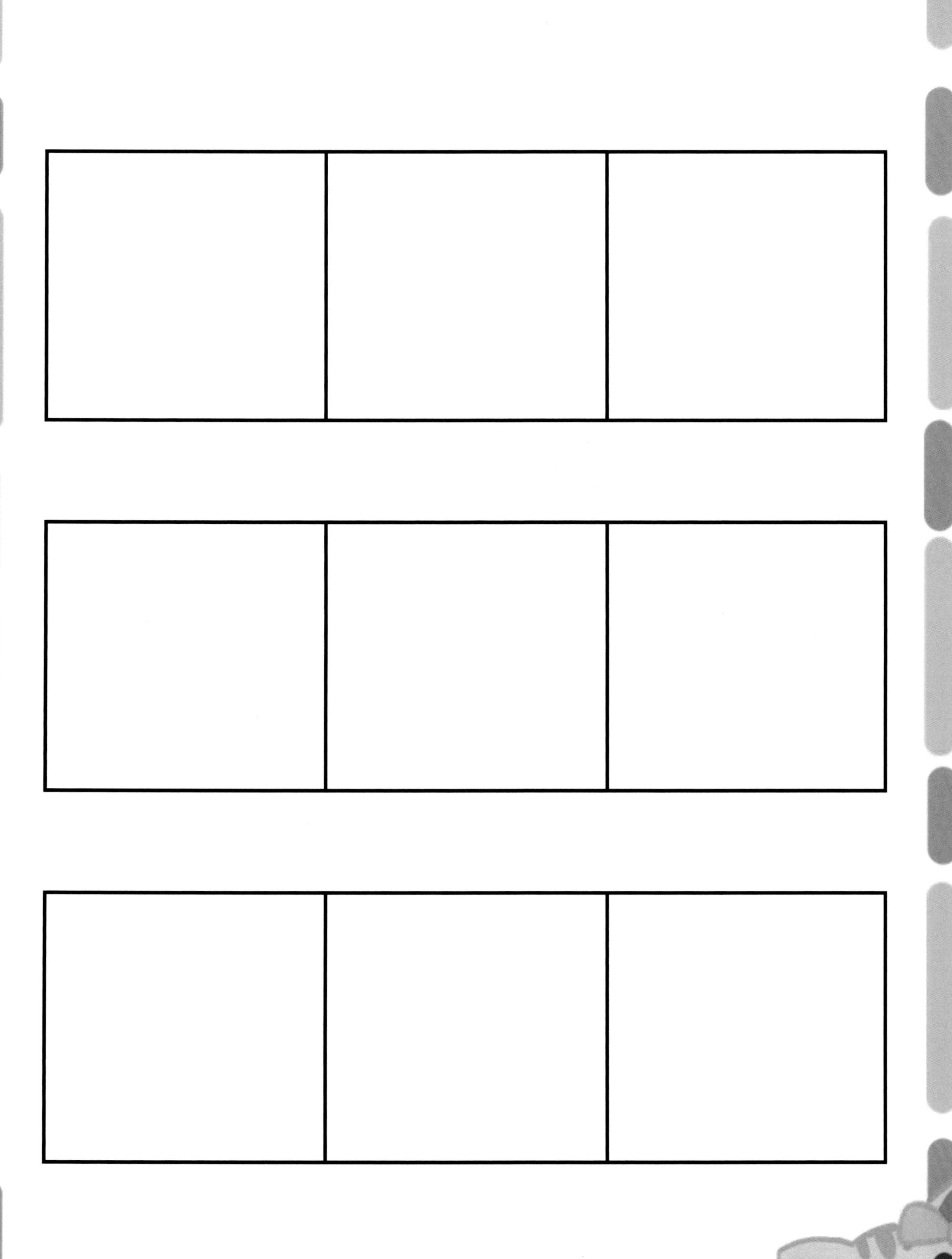

我認識國字

解釋： 小孩在屋內專心學字、寫字。

詞語： 名字、 文字

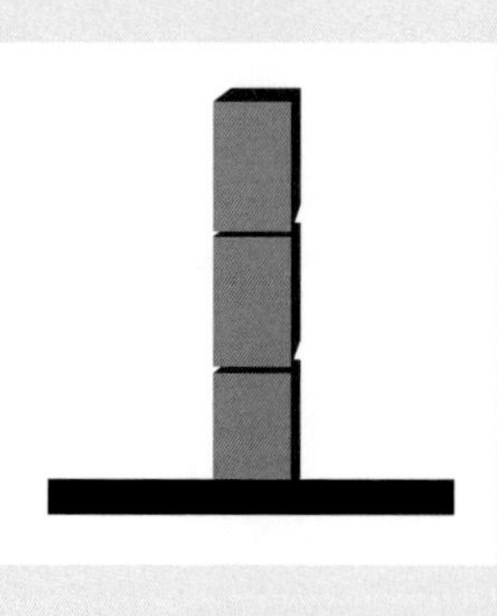

解釋： 像方塊一加上方塊二， 並且加上方塊三。 三個方塊疊起來就成了「且」字。

詞語： 而且、 並且

解釋： 當人們說到自己時， 通常會指向自己。

詞語： 自己、 知己

我是大偵探

請剪下第116頁的字，看看哪個字最像下面的圖，擺到格子裡。

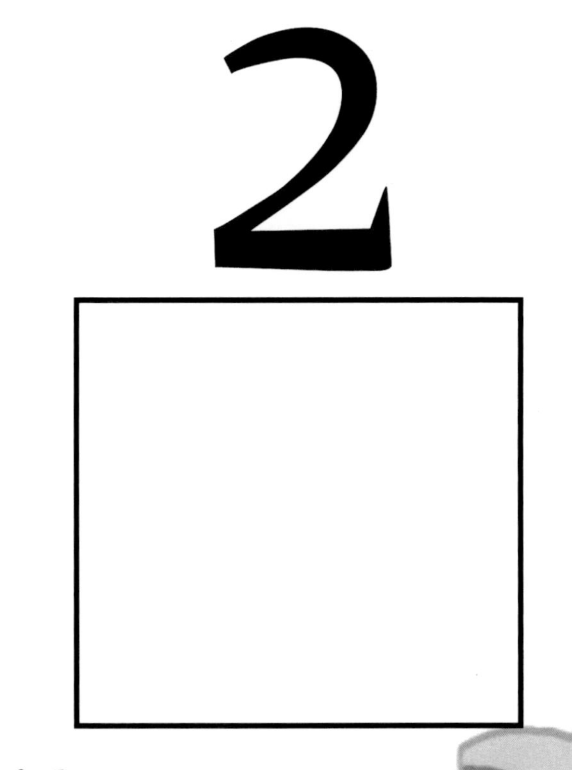

我ㄨㄛˇ會ㄏㄨㄟˋ寫ㄒㄧㄝˇ國ㄍㄨㄛˊ字ㄗˋ

先ㄒㄧㄢ描ㄇㄧㄠˊ三ㄙㄢ次ㄘˋ，再ㄗㄞˋ寫ㄒㄧㄝˇ三ㄙㄢ次ㄘˋ。

思 ㄙ	思 ㄙ	思 ㄙ
加 ㄐㄧㄚ	加 ㄐㄧㄚ	加 ㄐㄧㄚ
乙 ㄧˇ	乙 ㄧˇ	乙 ㄧˇ

我認識國字

解釋：思考就像是在心中的田地撒上種子，讓我們成長。

詞語：意思、思念

解釋：用力搬東西時，嘴巴發出聲音，更有力氣，替自己加油。

詞語：參加

2

解釋：乙像數字 2，通常是第二的意思，也有一個的意思。

詞語：乙等、乙張

國ㄍㄨㄛˊ字ㄗˋ演ㄧㄢˇ變ㄅㄧㄢˋ圖ㄊㄨˊ

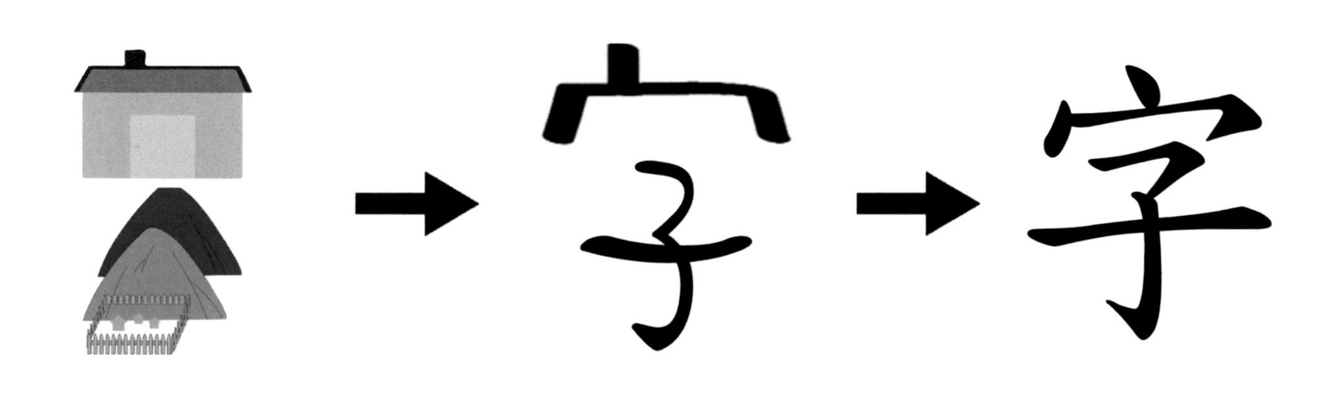

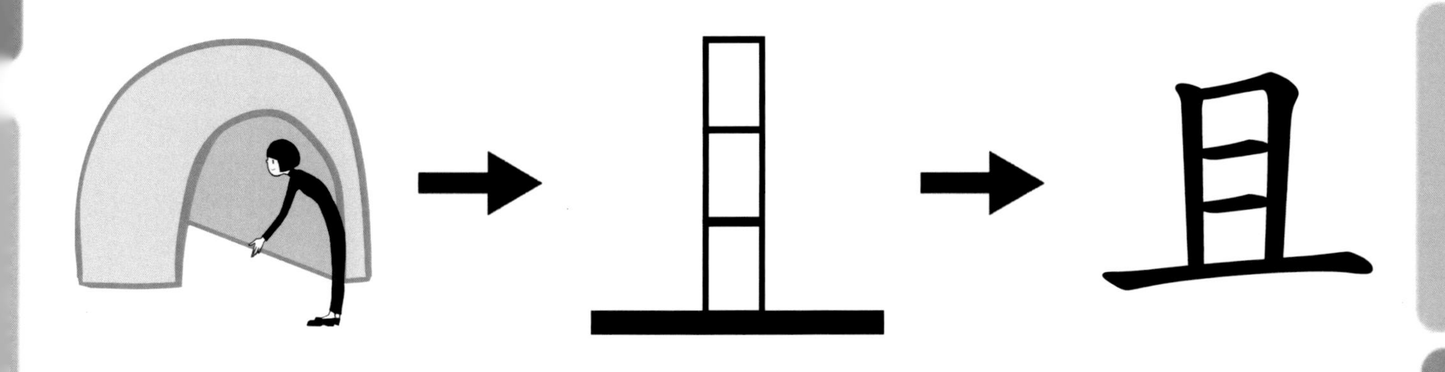

→ 己 → 己

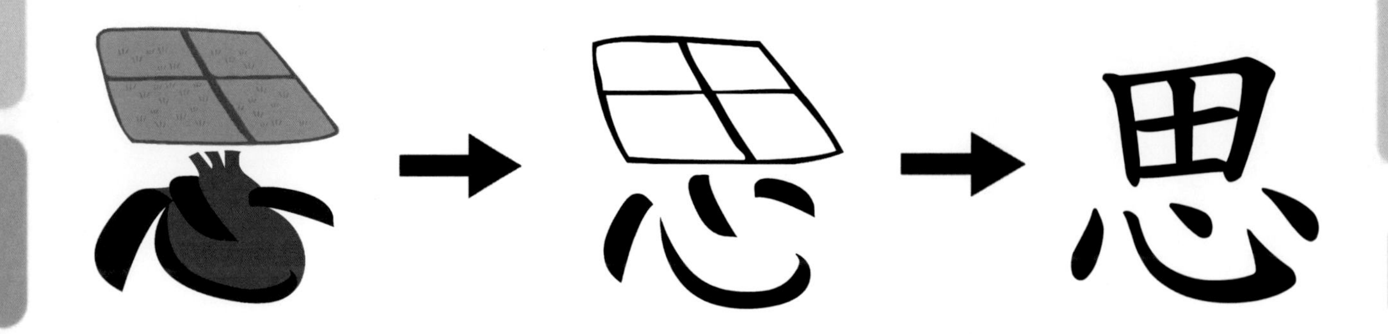

2 → 乙 → 乙

我可以做到！

完成任務可以請爸爸媽媽
在空格處貼上小饅頭貼紙。

說話說清楚，慢慢講。	
不批評他人、不說別人壞話。	
努力學習，不隨便放棄。	
不管閒事，例如：同學沒寫作業，我們不需要幫忙。	
學習別人的優點。	
看到別人做壞事時，好好反省自己有沒有做過一樣的事。	
尊重動物的生命，並保護牠們。	

貼紙在第118頁。

我的目標

★ 能關心同學並讚美他的優點。

★ 能懂得滿足，珍惜東西。

★ 能承認自己的錯誤，並改正。

Bookstore
Bookstore

點點總是喜歡最新、最流行的原子筆。他覺得拿漂亮的筆就可以考高分，所以他常常把早餐錢省下來買筆，而他身邊的朋友常常說服他去買最新的筆。

100

那些真正關心點點的朋友，會常勸他不要亂花錢，要吃早餐。點點覺得他們一直碎碎唸很煩，而且讓他不開心，所以漸漸不理他們了。

有一天，點點的媽媽幫他整理房間時，發現點點有很多筆。問了點點後，才知道他都沒吃早餐，把錢拿去買筆。

媽媽：餓肚子，哪有精神上課呢？以後早餐媽媽會幫你準備好，你吃完再去上學吧！

之後點點沒有錢可以買最新的筆了，那些一直叫點點買筆的人漸漸不再理他。點點才發現原來當初一直勸他不要亂花錢買筆的朋友，才是真正關心他的人。

點點回家問媽媽：
怎麼樣才能跟我的好朋友和好呢？

媽媽：你應該誠心的道歉，
請他們原諒你。
以後需要買文具時，
你跟媽媽說，媽媽
買給你。

點點的好朋友接受他的道歉，點點現在和他們一起念書，成績也慢慢的進步。

不是有好的筆就會有好的成績。與別人比賽誰的筆比較漂亮，不但不會進步，也會讓真正關心自己的好朋友傷心。

100

我會《弟子規》

唯德學，唯才藝；

不如人，當自礪。

若衣服，若飲食；

不如人，勿生慼。

聞過怒，聞譽樂；

損友來，益友卻。

什麼意思？

我們應該要重視品德
和才藝。 如果發現
自己在品德與才藝
不如別人時， 就要
趕快努力。 至於吃的
東西、 穿的衣服比不
上別人時， 不需要放
在心上， 不用難過。

不喜歡聽到別人說
我們的錯誤， 只喜歡
聽到別人的稱讚，
那麼到最後身邊只會
剩下壞朋友，
而好朋友會變少。

我會《弟子規》

聞譽恐，聞過欣；
直諒士，漸相親。
無心非，名為錯；
有心非，名為惡。
過能改，歸於無；
倘掩飾，增一辜。

什麼意思？

如果受到他人稱讚時，會怕自己做得不夠好；聽到別人說我們的錯誤時，能夠接受並改正自己，好的朋友就會變多。

不小心做了不對的事，這叫錯誤；故意去做錯的事情才是罪惡。知道做了不好的事後，馬上改正並記在心中，錯誤會慢慢的減少。如果做錯事卻不願意承認，反而故意說謊，就會越錯越嚴重。

猜猜看這是什麼字？

請從下方選出最像的字卡，擺入第99頁和第103頁的空格中。

名 ㄇㄧㄥˊ	心 ㄒㄧㄣ	上 ㄕㄤˋ
士 ㄕˋ	相 ㄒㄧㄤ	一 ㄧ
必 ㄅㄧˋ	我 ㄨㄛˇ	姐 ㄐㄧㄝˇ

字卡在第117頁，剪下來使用。

我是大偵探

請剪下第117頁的字，看看哪個字最像下面的圖，擺到格子裡。

我ㄨㄛˇ會ㄏㄨㄟˋ寫ㄒㄧㄝˇ國ㄍㄨㄛˊ字ㄗˋ

先ㄒㄧㄢ描ㄇㄧㄠˊ三ㄙㄢ次ㄘˋ，再ㄗㄞˋ寫ㄒㄧㄝˇ三ㄙㄢ次ㄘˋ。

我ㄨㄛˇ	我ㄨㄛˇ	我ㄨㄛˇ
士ㄕˋ	士ㄕˋ	士ㄕˋ
相ㄒㄧㄤ	相ㄒㄧㄤ	相ㄒㄧㄤ

我認識國字

解釋：「我」像是一個戴著帽子的人用武器保護自己的樣子。

詞語：我們、我國

解釋：像拿著步槍的士兵。

詞語：士兵、勇士

解釋：像兩個躲在樹木底下的人互相對看的樣子。「相」也唸「相」。

詞語：互相、相貌

我是大偵探

請剪下第117頁的字，看看哪個字最像下面的圖，擺到格子裡。

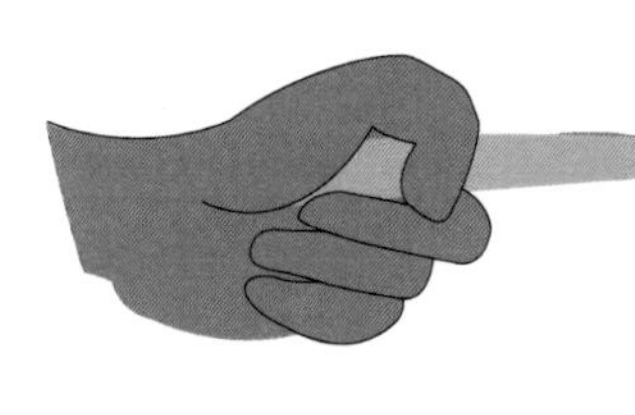

我ㄨㄛˇ會ㄏㄨㄟˋ寫ㄒㄧㄝˇ國ㄍㄨㄛˊ字ㄗˋ

先ㄒㄧㄢ描ㄇㄧㄠˊ三ㄙㄢ次ㄘˋ，再ㄗㄞˋ寫ㄒㄧㄝˇ三ㄙㄢ次ㄘˋ。

心 ㄒㄧㄣ	心 ㄒㄧㄣ	心 ㄒㄧㄣ

名 ㄇㄧㄥˊ	名 ㄇㄧㄥˊ	名 ㄇㄧㄥˊ

一 ㄧ	一 ㄧ	一 ㄧ

我認識國字

解釋： 像心臟的形狀，三點筆劃是動脈。

詞語： 心臟、 心動

解釋： 像一位巫師在夕陽下山時， 開口呼喚惡魔的名字。

詞語： 名字、 名片

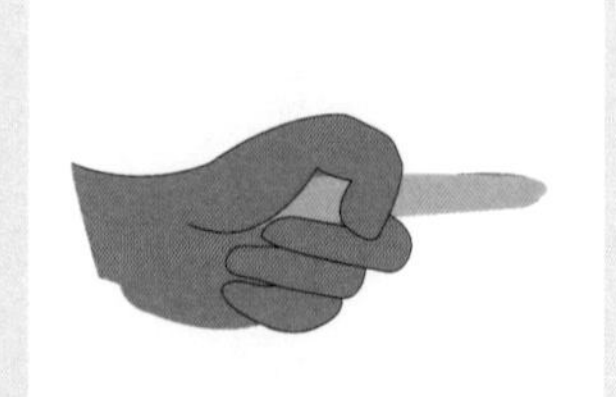

解釋： 像一個人向前伸出一隻手指，用手比出數字一。

詞語： 一個 （ 蘋果 ）

國字演變圖

→ 士 → 士

木目 → 相 → 相

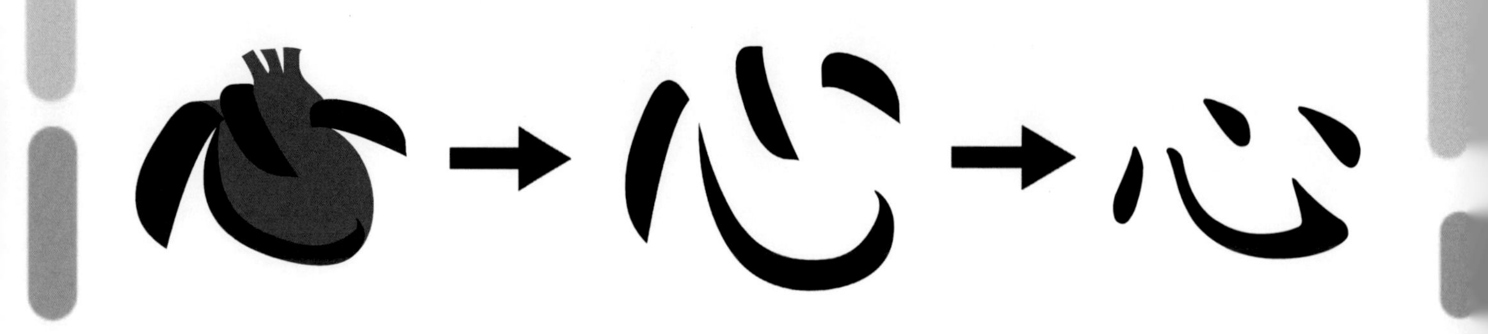

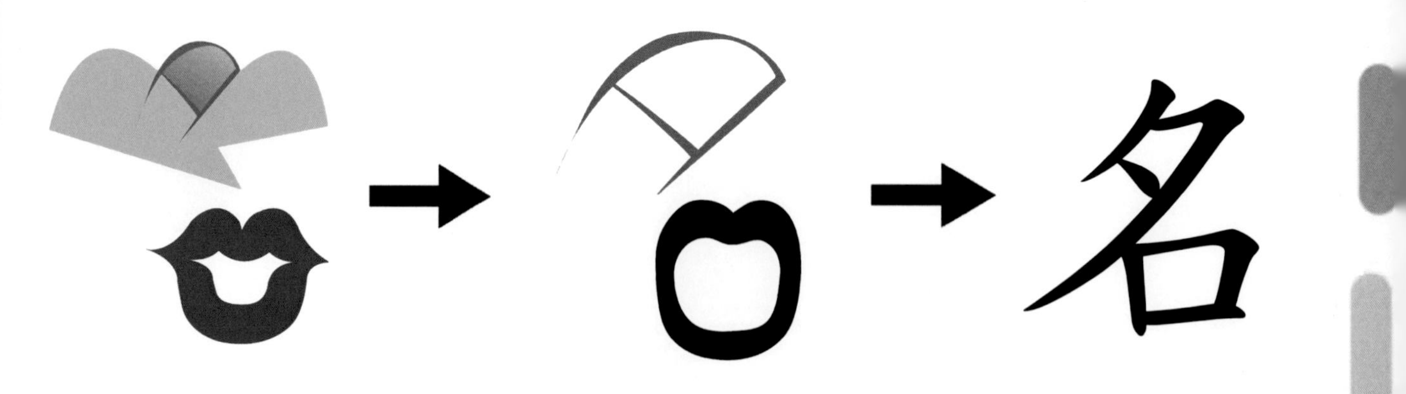

一

我可以做到！

完成任務可以請爸爸媽媽在空格處貼上小饅頭貼紙。

重視自己的品德和才藝。	
讓自己的品德和才藝變好。	
不比較衣服和食物，珍惜自己的東西。	
感謝告訴我們哪裡需要改進的朋友。	
受到別人稱讚時，提醒自己還要更好。	
發現自己做錯事時，馬上改正。	
如果做錯事，承認自己的錯誤。	

貼紙在第118頁。

給ㄍㄟˇ爸ㄅㄚˋ媽ㄇㄚ的˙ㄉㄜ話ㄏㄨㄚˋ

本書為親子共讀書籍，親子共讀能增進孩子的語文理解及親子關係。爸媽可運用交互教學法的四個策略：(1)預測、(2)澄清、(3)提問、(4)摘要，幫助孩子建立閱讀學習鷹架。

在開始閱讀故事之前，爸媽先帶領孩子進行「封面預測」，透過書名與圖片預測故事內容；在閱讀故事的同時，爸媽適時停下腳步，讓孩子「預測」後面的故事發展，以提升孩子的閱讀動機。當孩子遇到閱讀困難時，「澄清」很重要，爸媽引導孩子透過上下文意或插圖來推測正確的意思，或請孩子查字典找答案。讀完故事後，爸媽請孩子「提問」，此時孩子會努力的反覆閱讀文本，找出可詢問的問題，爸媽可引導孩子使用5W1H1♥ (who, when, where, what, why, how, 心情)來提問，藉此促進對文意的了解。

Who ：「有哪些人物?」

When：「發生在什麼時候?」

Where：「在什麼地方?」

What：「發生了什麼事?」

Why：「原因是什麼?」

How：「如何處理?」

心情：「人物的心情如何？」

最後，爸媽引導孩子試著「摘要」文本內容，用自己的話說出大意，以檢視孩子是否能理解文本重點。

透過本書的《弟子規》品德故事，孩子能夠在快樂閱讀的同時，學會《弟子規》的重要內涵。本書結合「鍵接圖識字教學策略」，從《弟子規》中挑選重要且簡單的字，並加入生活常用字。使文字圖像化，讓孩子透過可愛且有趣的圖片來學習國字，以提升孩子學習國字的興趣及識字量。本書搭配自我檢核表（我可以做到），孩子若達成，爸媽可協助貼上書末的貼紙，以茲鼓勵。

在共讀的過程中，爸媽非以上對下的方式帶領，而是成為孩子的「學習夥伴」，在閱讀的過程中不斷的與孩子對話並給予鼓勵與讚美；一同學習與討論，彼此分享想法，且接納對方不同的想法；藉此提升孩子的溝通能力、建立緊密的親子關係。

本冊建議之問題討論：

1. 你覺得責任是什麼？什麼是負責任的行為？
2. 你做過什麼負責任的事？
3. 答應別人的事沒做到會怎麼樣？
4. 如果有人提出自己做不到的要求，怎麼辦？
5. 我們要如何對待寵物或動物？
6. 如果家裡有寵物，但是不想養了，怎麼辦？
7. 為什麼要珍惜東西？
8. 看到想買的東西，可是已經有了，該怎麼做？
9. 當你看到同學表現得很好，你會做些什麼？

#《弟子規》放大鏡

〈信〉

凡出言，信為先；

詐與妄，奚可焉。

話說多，不如少；

惟其是，勿佞巧。

見未真，勿輕言；

知未的，勿輕傳。

事非宜，勿輕諾；

苟輕諾，進退錯。

凡道字，重且舒；

勿急疾，勿模糊。

彼說長，此說短；

不關己，莫閒管。

見人善，即思齊；

縱去遠，以漸躋。

見人惡，即內省；

有則改，無加警。

唯德學，唯才藝；

不如人，當自礪。

若衣服，若飲食；

不如人，勿生慼。

聞過怒，聞譽樂；

損友來，益友卻。

《弟子規》放大鏡

聞譽恐，聞過欣；

直諒士，漸相親。

無心非，名為錯；

有心非，名為惡。

過能改，歸於無；

倘掩飾，增一辜。

附件

文字字卡

搭配第30頁「猜猜看這是什麼字？」使用。

請沿黑線剪下。

ㄐㄧㄚ	ㄓ	ㄢ
ㄖㄨˊ	ㄨㄟˋ	ㄏㄠˇ
ㄐㄧㄚˇ	ㄧˊ	ㄒㄧㄣˋ

文字字卡

搭配第64頁「猜猜看這是什麼字？」使用。

請沿黑線剪下。

乙 ㄧˇ	思 ㄙ	且 ㄑㄧㄝˇ
和 ㄏㄜˊ	己 ㄐㄧˇ	目 ㄇㄨˋ
生 ㄕㄥ	字 ㄗˋ	加 ㄐㄧㄚ

文字字卡

搭配第98頁「猜猜看這是什麼字？」使用。

請沿黑線剪下。

名 ㄇㄧㄥˊ	心 ㄒㄧㄣ	上 ㄕㄤˋ
士 ㄕˋ	相 ㄒㄧㄤ	一 ㄧ
必 ㄅㄧˋ	我 ㄨㄛˇ	姐 ㄐㄧㄝˇ